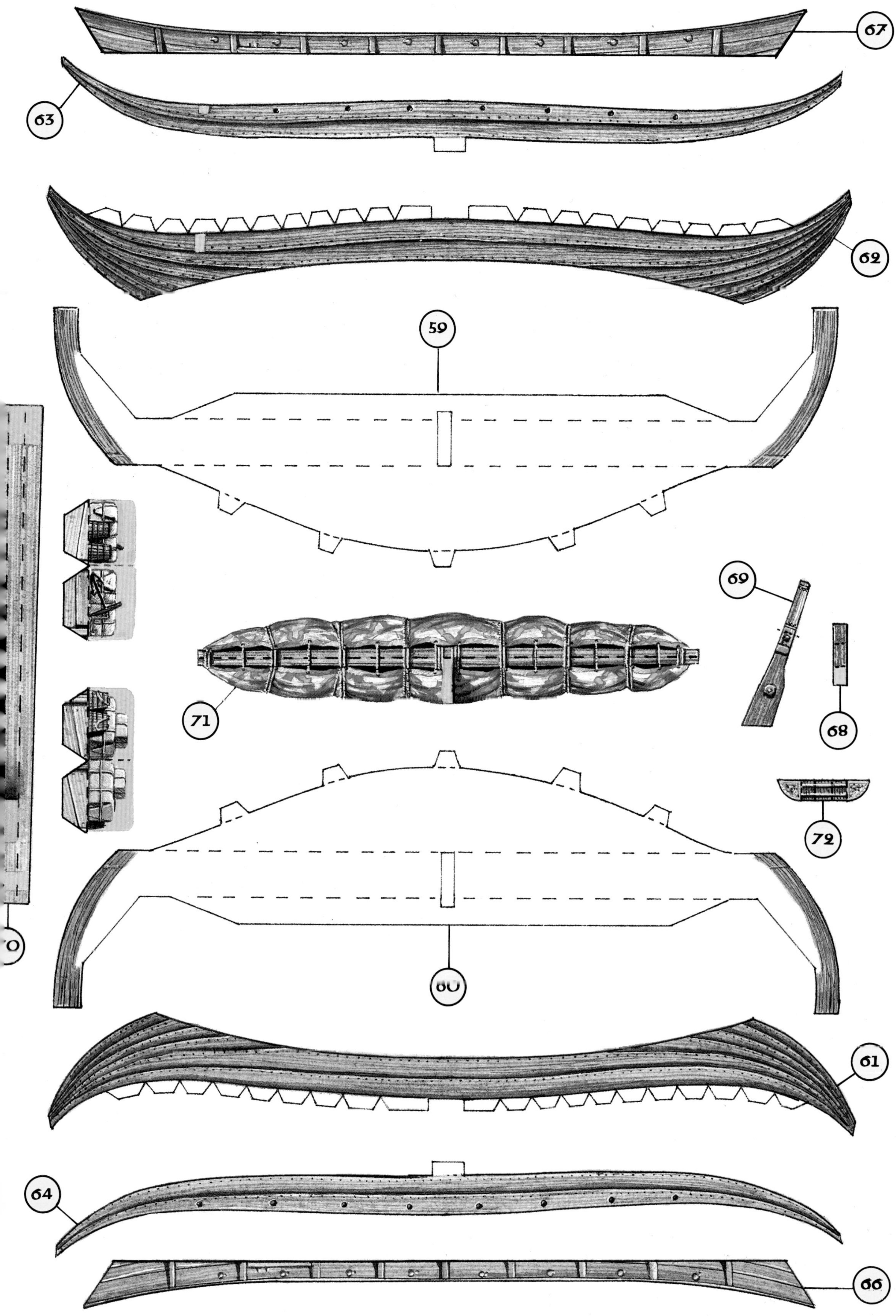
67
63
62
59
69
71
68
72
60
61
64
66

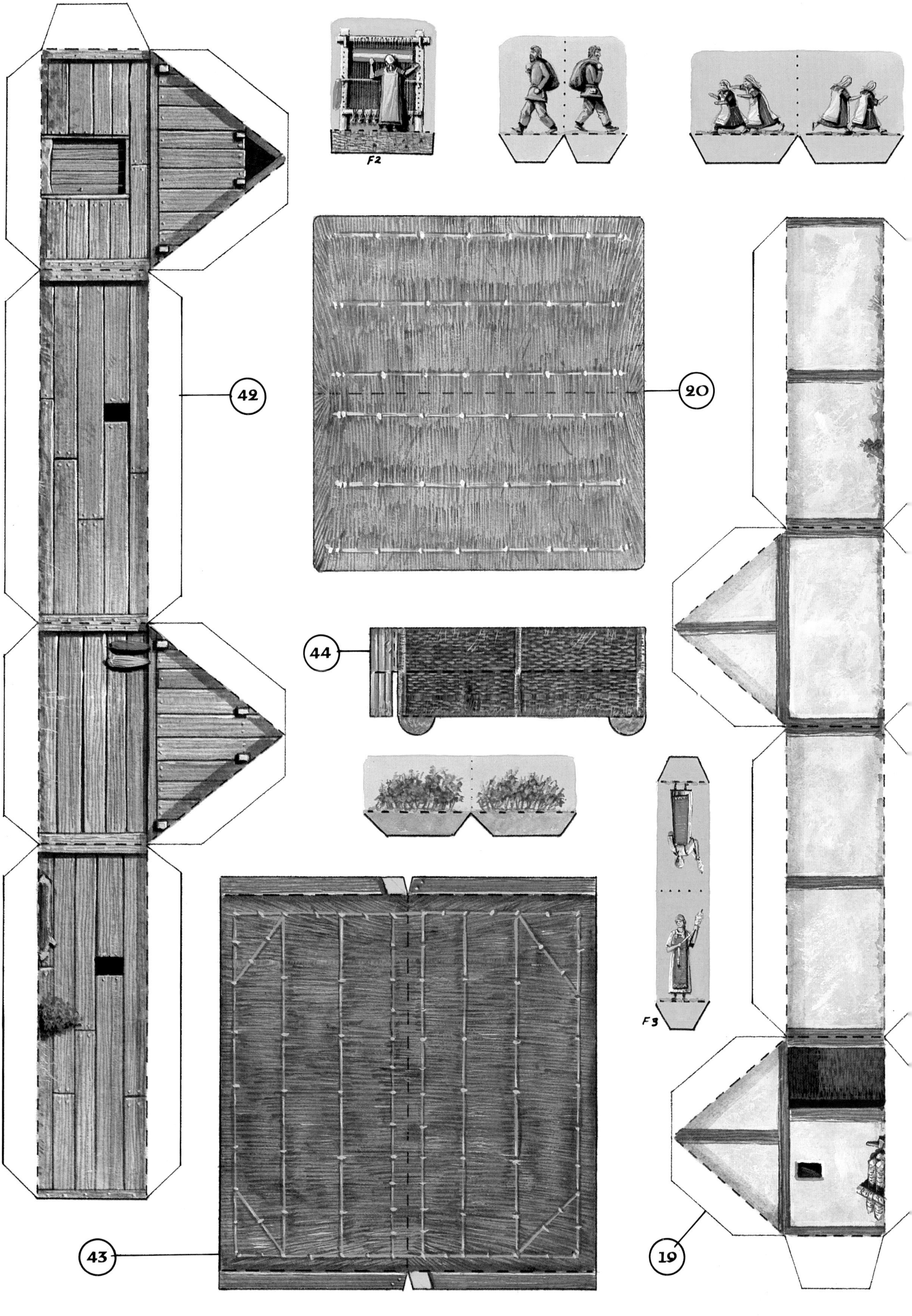
F2
42
20
44
F3
43
19

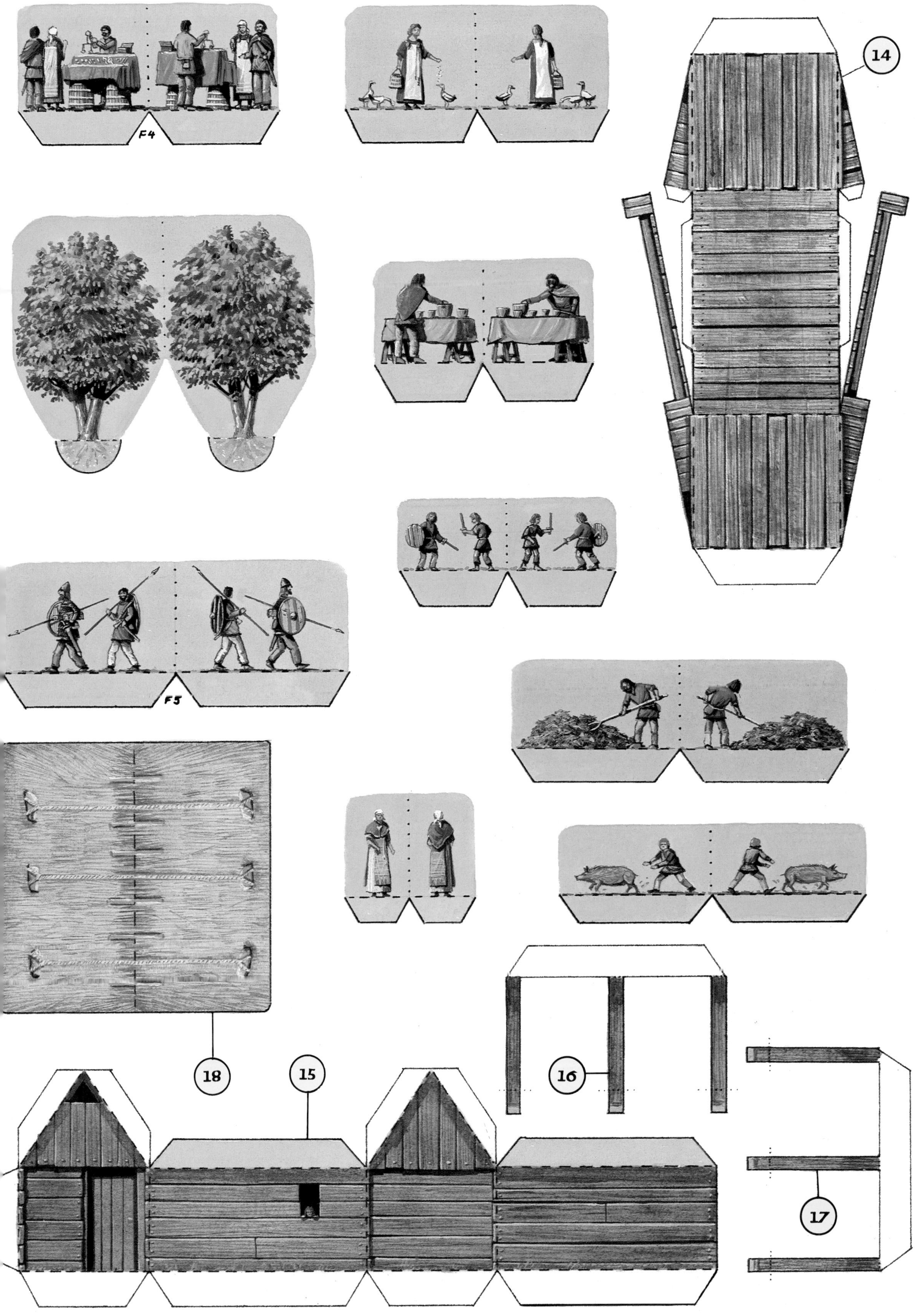
F4
14
F5
18
15
16
17

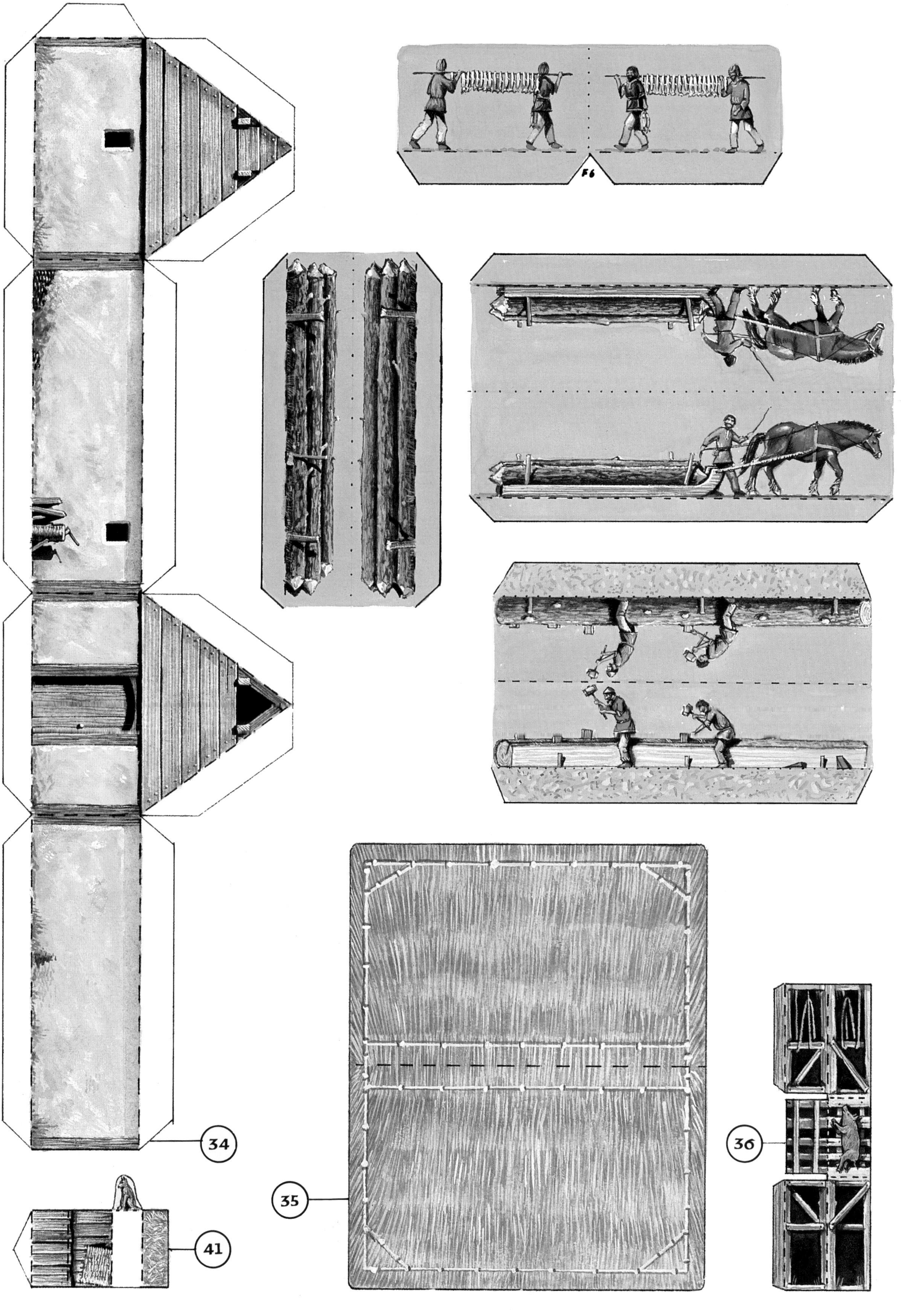
F6
34
41
35
36

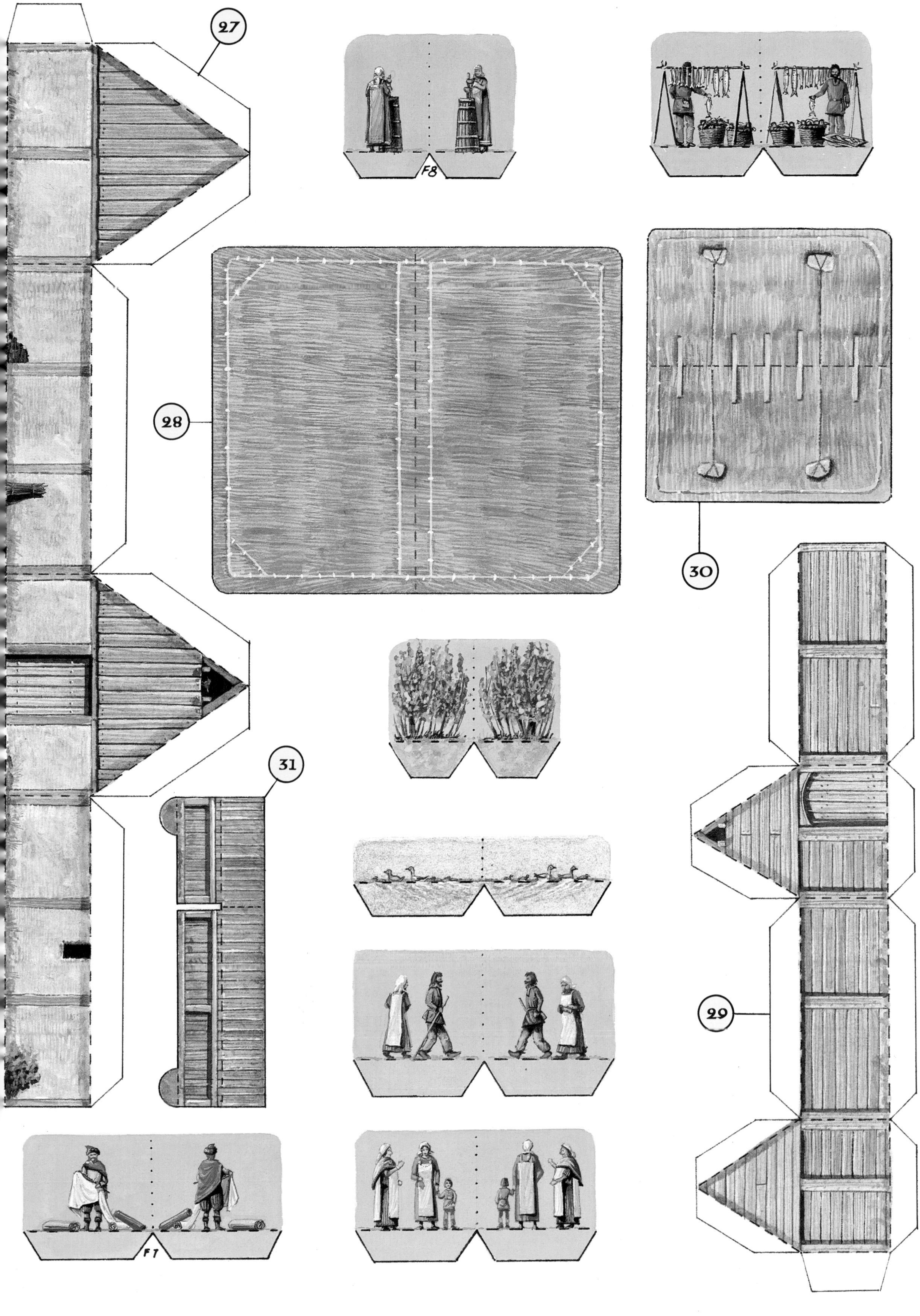
27
F8
28
30
31
29
F7

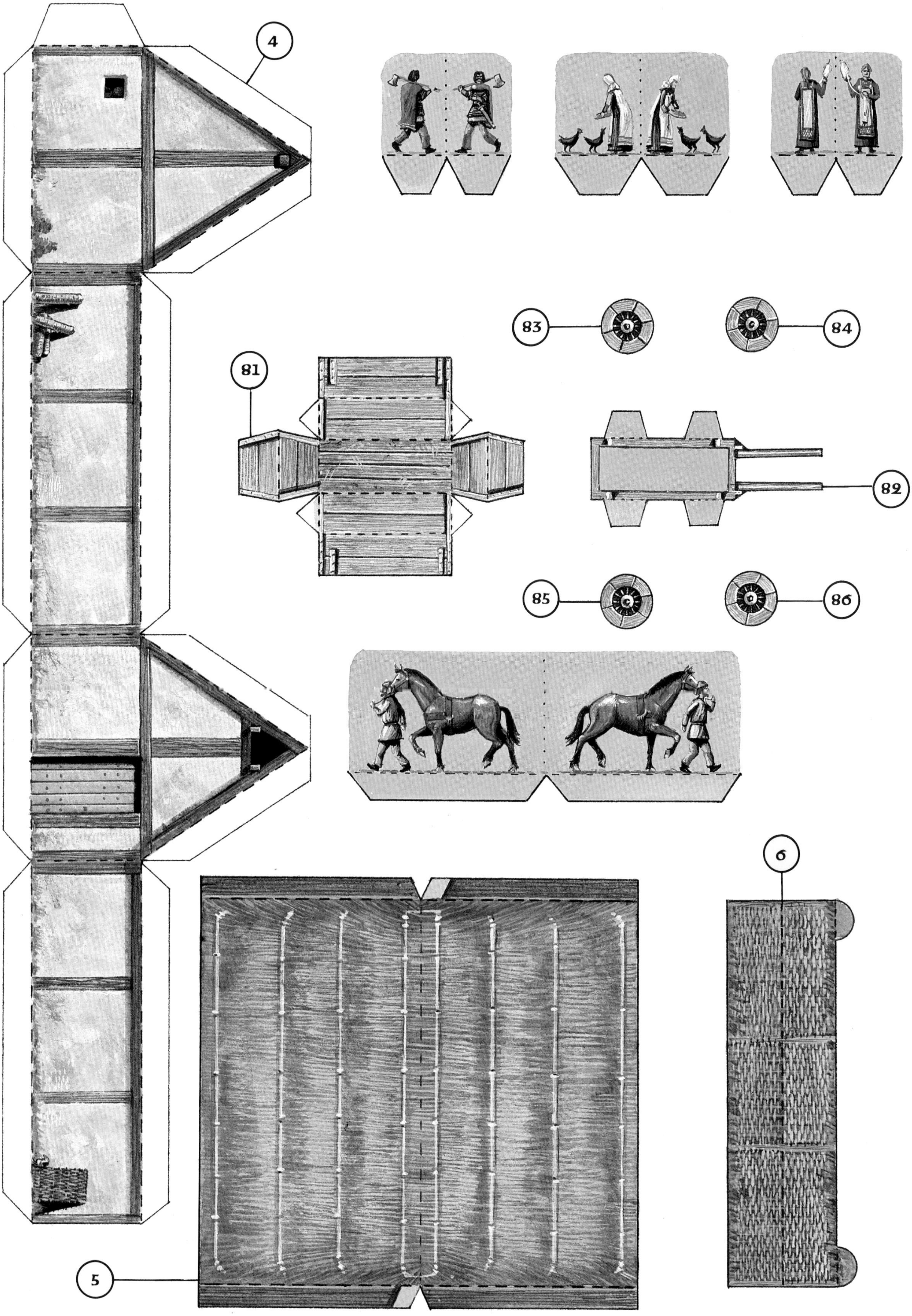
4
81
82
83
84
85
86
5
6

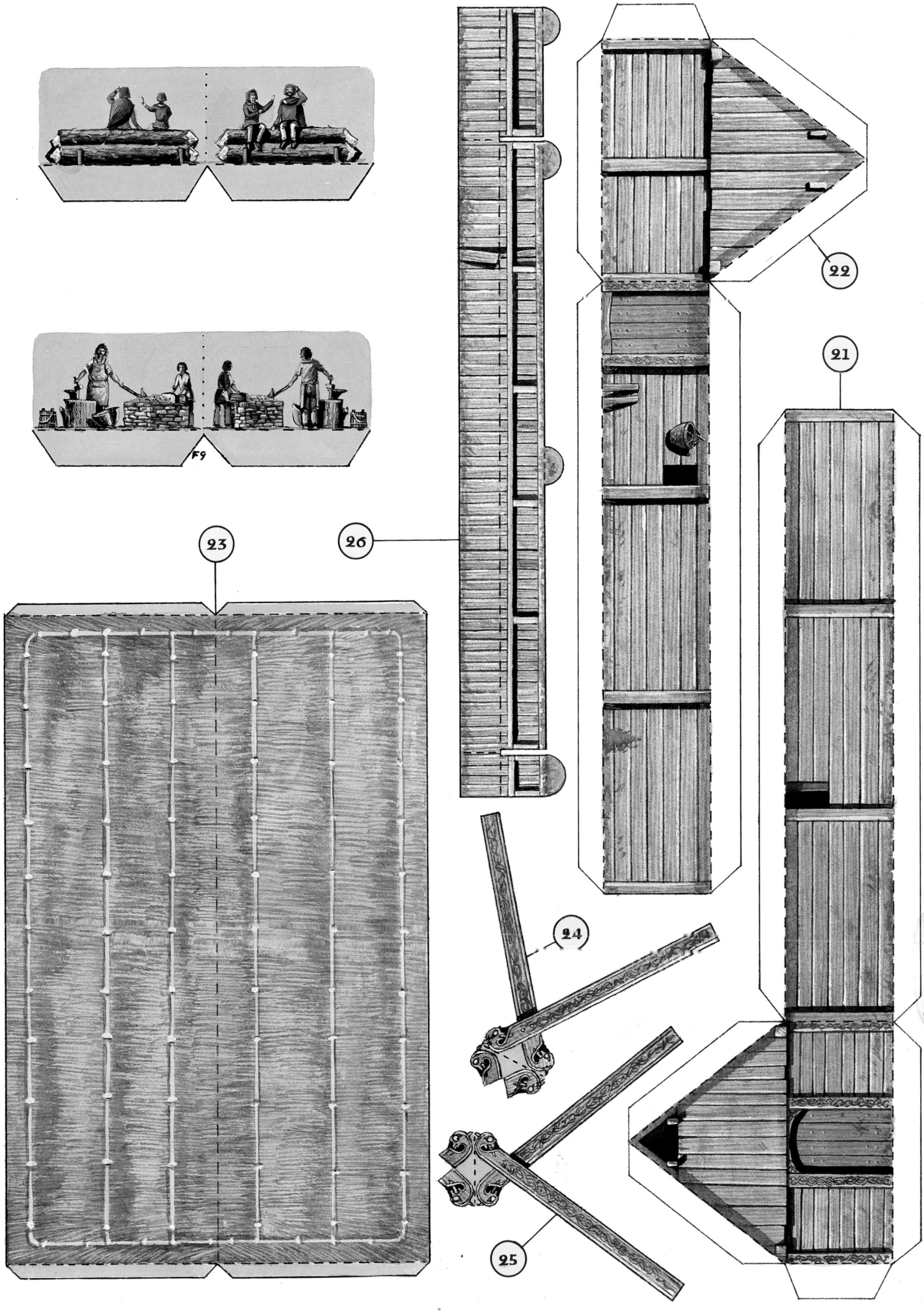
F9
22
21
26
23
24
25

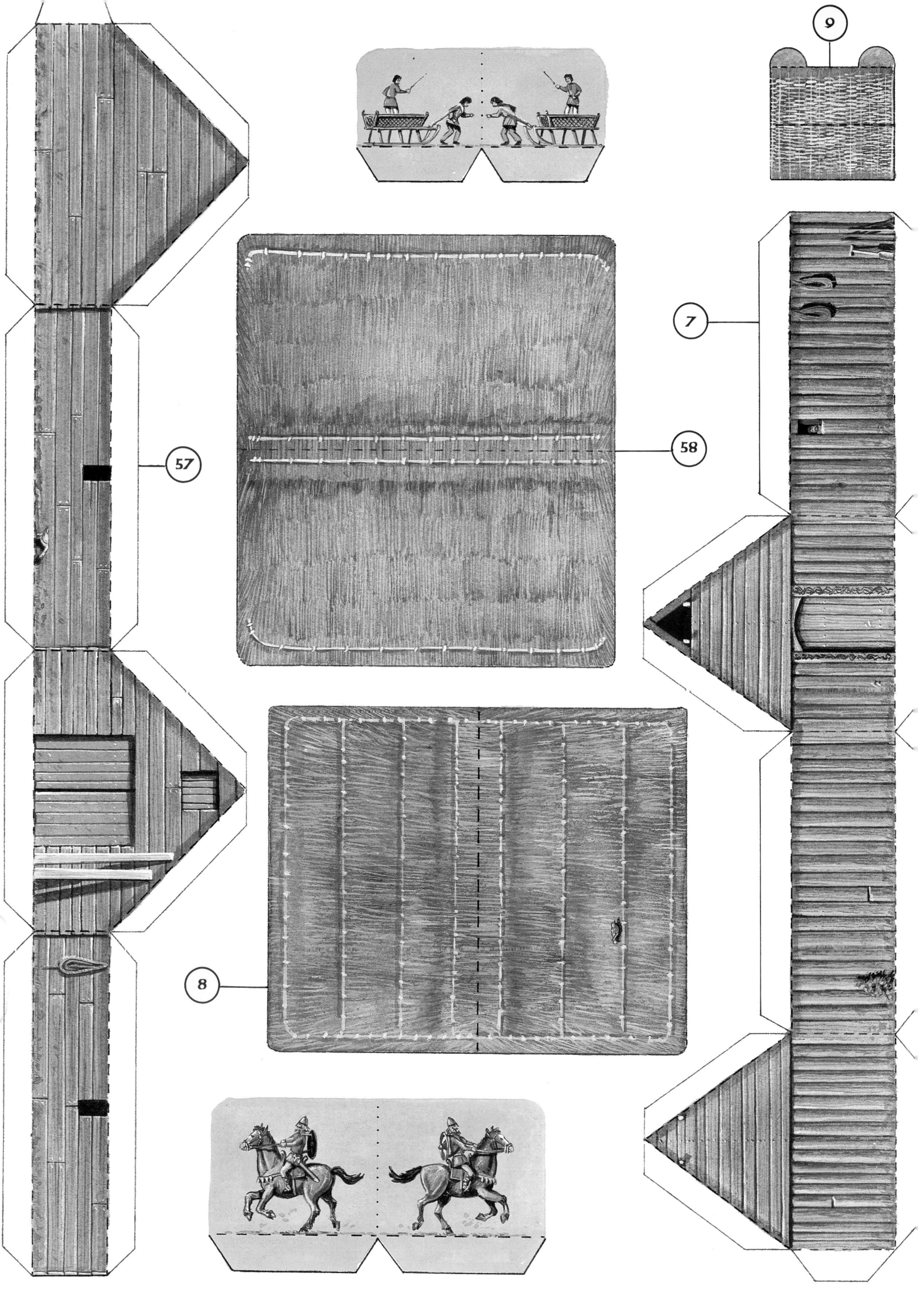
9
7
57
58
8

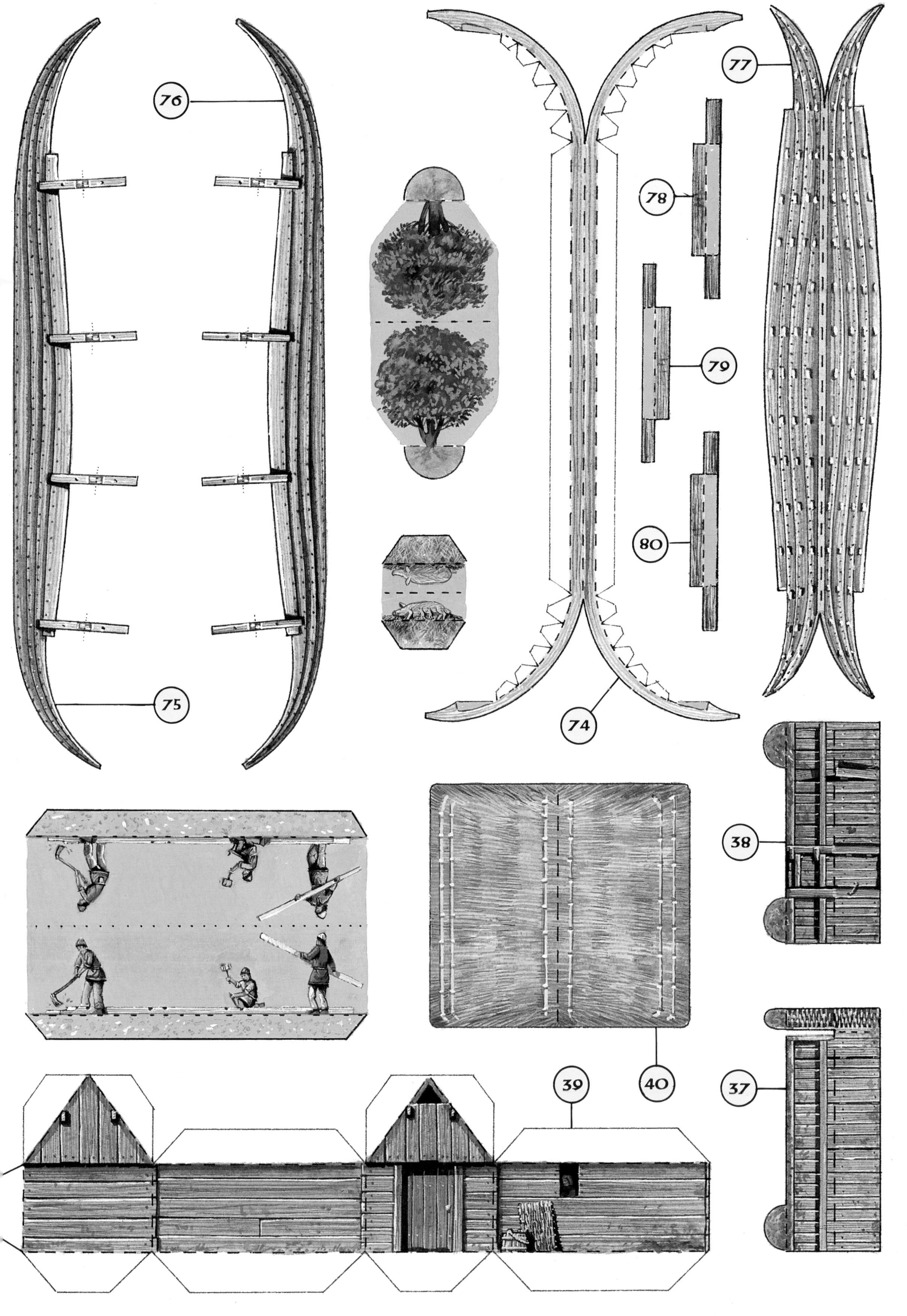
76
77
78
79
80
75
74
38
40
39
37

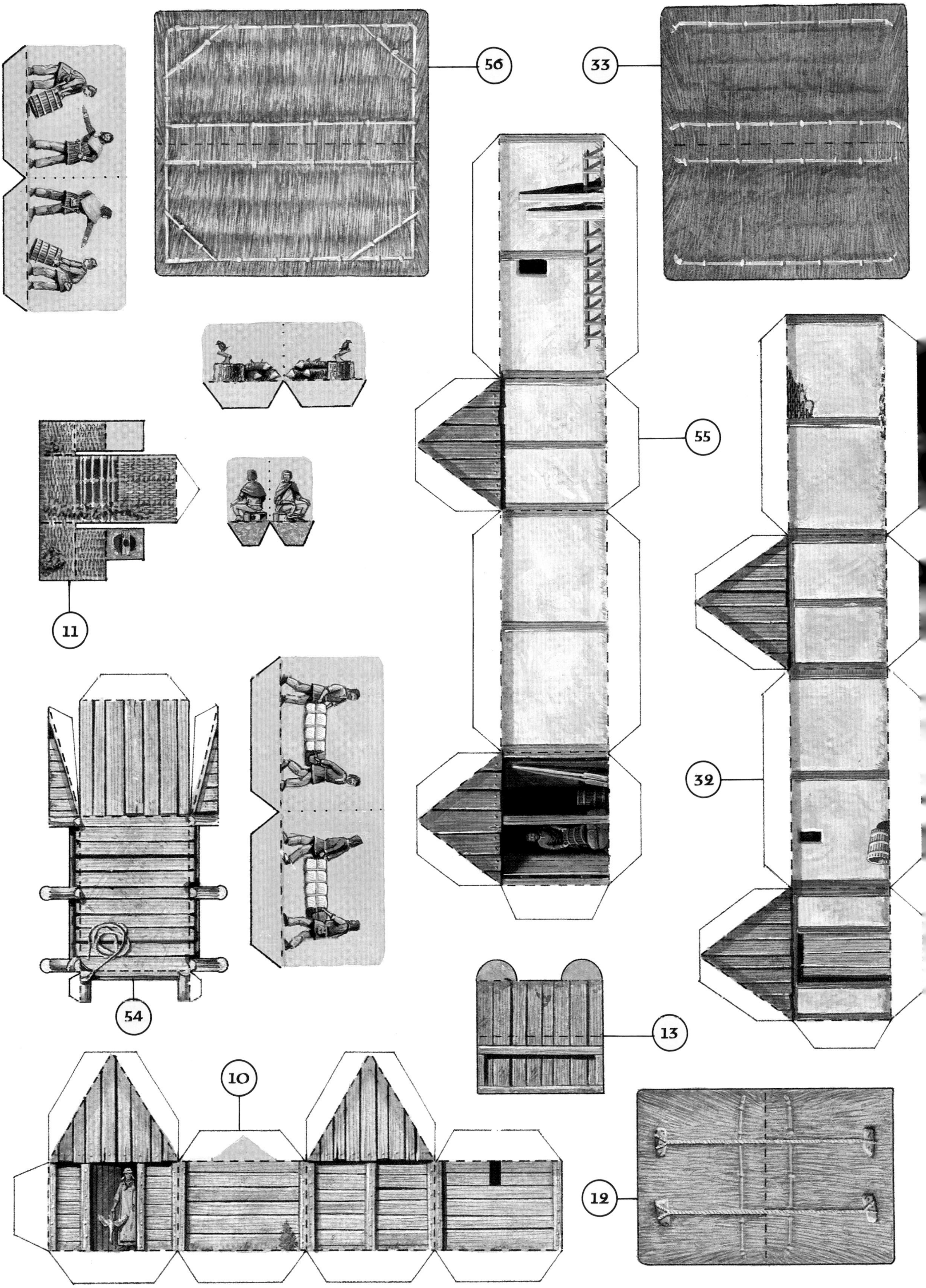
56
33
55
11
32
54
13
10
12

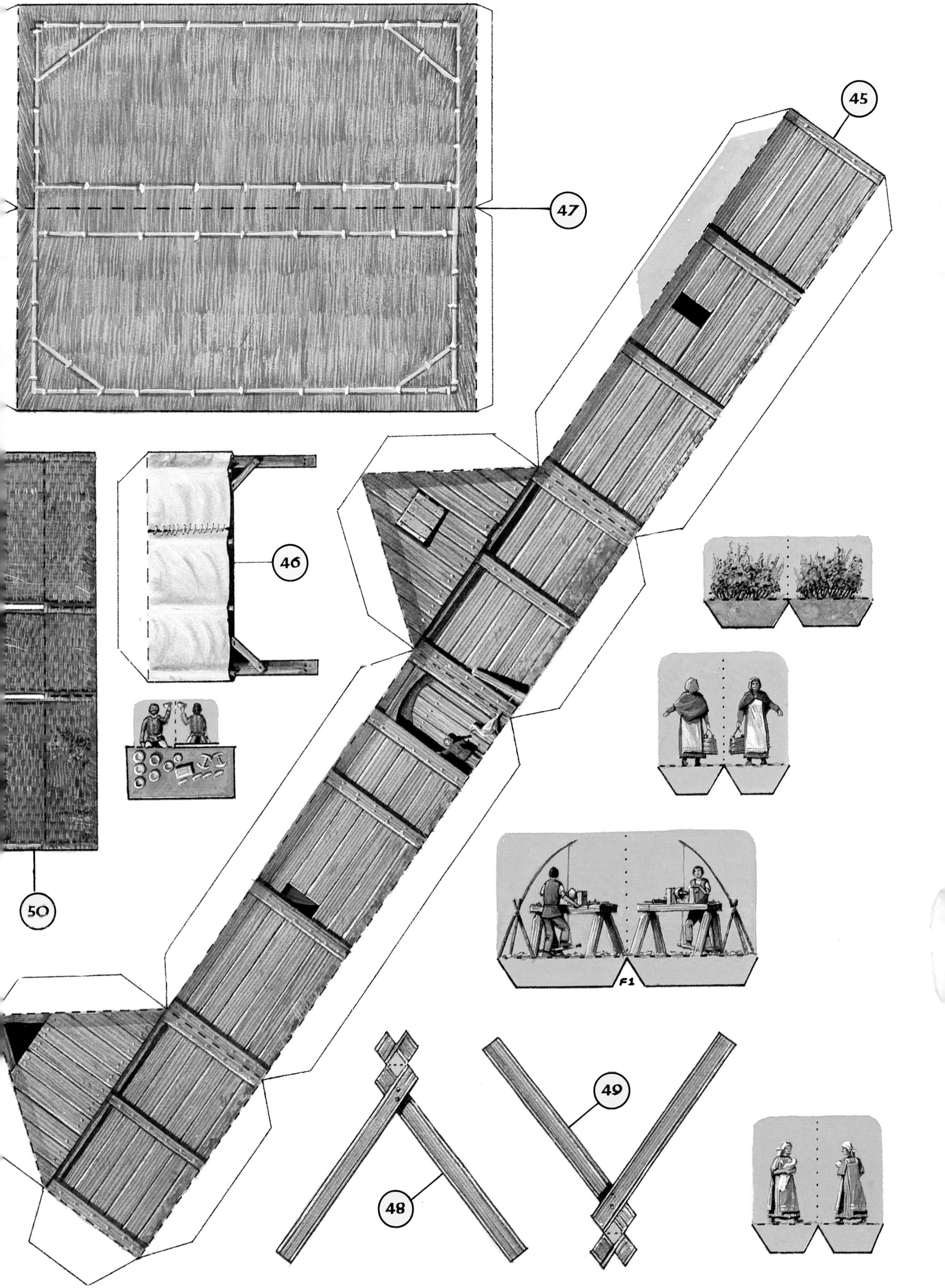
45
47
46
50
F1
49
48

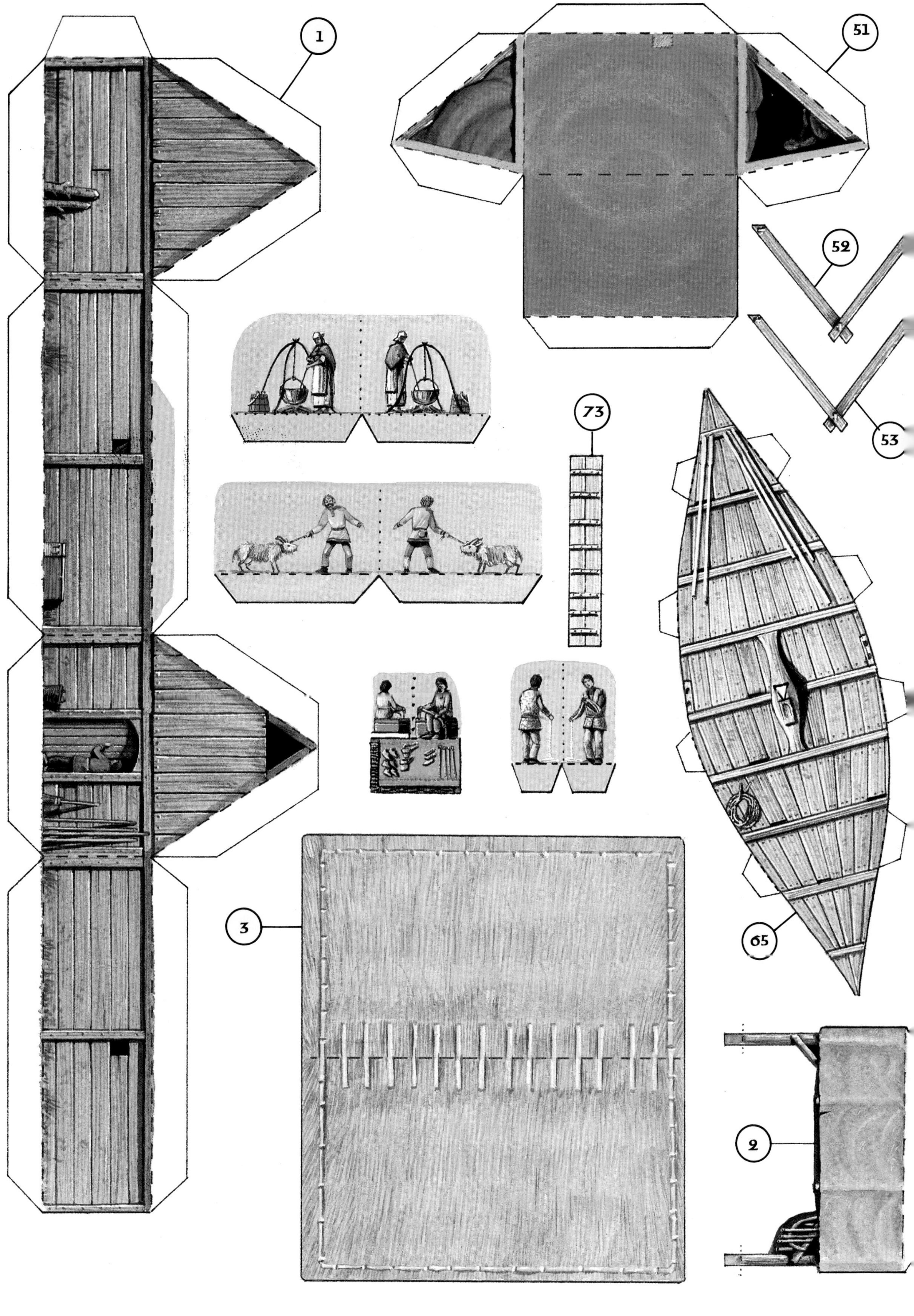
1
51
52
53
73
65
3
2